Für Natalie

ein ganz besonderes
Mädchen.

liebe Güße
    Daniela Schromm - Bae len

Sternenschweif

Geheinmisvolle Verwandlung

Sternenschweif

Geheimnisvolle Verwandlung

KOSMOS

Umschlaggestaltung von Atelier Reichert, Stuttgart,
unter Verwendung einer Illustration von Andrew Farley.
Aus dem Englischen übersetzt von Bettina Schaub.

Titel der englischen Originalausgabe:
Linda Chapman: My secret unicorn – The magic spell
© Working Partners Ltd. 2002
First published by Puffin Books, London 2002
Textillustrationen © Biz Hull

Weitere Bände dieser Reihe siehe S. 127

Unser gesamtes lieferbares Programm und viele
weitere Informationen zu unseren Büchern,
Spielen, Experimentierkästen, DVDs, Autoren und
Aktivitäten finden Sie unter **kosmos.de**

MIX
Papier aus verantwor-
tungsvollen Quellen
FSC
www.fsc.org   FSC® C014138

Gedruckt auf chlorfrei gebleichtem Papier

1. Auflage
© 2004 Franckh-Kosmos Verlags-GmbH & Co. KG Stuttgart
Alle Rechte vorbehalten
ISBN 978-3-440-09901-8
Redaktion: Ina Pfitzer
Layout: Ralf Paucke
Produktion: Ralf Paucke
Printed in the Czech Republic/Imprimé en République tchèque

Einleitung

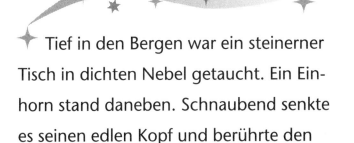

Tief in den Bergen war ein steinerner Tisch in dichten Nebel getaucht. Ein Einhorn stand daneben. Schnaubend senkte es seinen edlen Kopf und berührte den Tisch mit seinem schimmernden Horn.

Der Tisch schien für einen kurzen Moment zu beben. Dann begann seine Oberfläche wie ein Spiegel zu glänzen.

Das Einhorn flüsterte einen Namen.

Plötzlich flammte ein violetter Blitz am Nachthimmel auf, und der Nebel begann

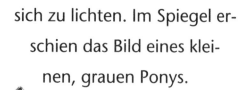

sich zu lichten. Im Spiegel erschien das Bild eines kleinen, grauen Ponys.

Ein zweites Einhorn trat an den Tisch und betrachtete nachdenklich das kleine, graue Pony: „Er sucht also immer noch nach seinem richtigen Besitzer, jemandem, der seine magischen Kräfte zum Leben erwecken kann?"

Das Einhorn mit dem schimmernden Horn nickte zustimmend: „Sein letzter Besitzer hat ihn schlecht behandelt."

Das andere Einhorn schüttelte traurig den Kopf. Sein silbernes Horn erstrahlte im Licht des Spiegels. „Aber irgendwo muss es doch einen Menschen geben, der ein gutes Herz hat und an den Zauber glaubt?"

„Ich glaube, da gibt es jemanden", antwortete das erste Einhorn sanft. „Sieh nur. Hier kommt sie."

1

„Wohin soll ich das stellen?", fragte Laura ihre Mutter, während sie mit einem großen Karton in den Armen in die Küche stolperte.

Ihre Mutter kniete inmitten von Umzugskisten auf dem Boden. „Stell ihn einfach irgendwohin, wo Platz ist", antwortete sie.

Laura ging zum Küchentisch hinüber und stellte den Karton darauf ab. Genau in diesem Moment kam Max, ihr jüngerer Bruder, hereingestürmt. Buddy, sein zehn Wochen alter Berner Sennenhund, folgte ihm dicht auf den Fersen.

Der Welpe schlitterte über den Küchenboden, um Mrs Foster zu begrüßen – und landete mitten in einem hohen Stapel Geschirr auf dem Boden, den sie gerade erst ausgepackt hatte. Ein paar Teller fielen mit einem lauten Klirren herunter.

„Oh nein, Buddy", stöhnte Mrs Foster.

„Er kann nichts dafür", verteidigte Max den kleinen Hund. Er lief zu Buddy hinüber und nahm das schwarz-braune Knäuel auf den Arm. „Er hat es einfach noch nicht raus, wie man bremst."

Mrs Foster lachte. „Warum geht ihr zwei nicht hinaus in den Garten?", schlug sie vor. „Da kannst du Buddy zeigen, wie man bremst."

Schnell liefen Max und Buddy in den sonnigen Aprilnachmittag hinaus.

„Pass auf, Max!", rief Mr Foster über den Flur.

Laura drehte sich um und sah, dass die beiden auf ihrem Weg nach draußen beinahe zwei Männer von der Umzugsfirma umgerannt hätten.

Mr Foster, Lauras Vater, beaufsichtigte die Männer, die die Sachen vom Möbelwagen hereintrugen.

„Was soll ich jetzt machen?", fragte Laura ihren Vater.

„Achtung! Aus dem Weg!", übertönte einer der Männer die Antwort ihres Vaters.

Laura trat zur Seite, als der Mann den Computer ihres Vaters hereintrug. Mr Foster raufte sich die Haare. „Vielleicht ist es das

Beste, wenn du nach oben gehst und die Sachen in deinem Zimmer auspackst, Liebes?" Ohne ihre Antwort abzuwarten, eilte er hinter dem Mann mit dem Computer her. „Bitte seien Sie vorsichtig! Das ist ein ganz besonders empfindliches Stück!"

Laura grinste. Es war bestimmt eine gute Idee, in ihr Zimmer zu verschwinden.

Seltsam, dass die Farm nun ihr neues Zuhause war. Während sie die Treppe hinaufging, dachte Laura an Sally und Anna, ihre beiden besten Freundinnen in der Stadt. Was sie wohl gerade machten? Vielleicht spielten sie „Auf dem Reiterhof", oder sie aßen die leckere Pizza, die Annas Mutter so gerne machte. Laura fragte sich, ob die beiden sie wohl auch vermissten.

Sie fühlte sich ein bisschen einsam, als sie über den Flur zu dem Zimmer am Ende des Ganges ging und die weiß gestrichene Holztür öffnete. Ihr neues Zimmer war klein und hatte eine Dachschräge. Sonnenlicht fiel durch ein kleines Fenster herein.

Laura stieg über die aufeinandergestapelten Umzugskartons und Koffer und setzte sich auf die Bank vor dem Fenster. In Gedanken versunken schaute sie hinaus. In der Ferne ragten die Gipfel der Berge majestätisch in den Himmel, aber Lauras Blick streifte sie nur. Dann richtete er sich auf etwas viel Näheres: den kleinen Stall und die Koppel direkt hinter dem Haus. Bei diesem Anblick fühlte sich Laura nicht länger allein. Was machte es schon, wenn sie noch keine neuen Freunde hier draußen auf dem Land hat-

te. Morgen würde sie ihr erstes eigenes
Pony bekommen!

Als Lauras Eltern Max und ihr vom Um-
zug aufs Land erzählt hatten, hatten sie
gleich als Erstes versprochen, dass jeder
von ihnen ein eigenes Tier bekäme. Damit
wurde für beide ein Traum wahr. So wie
Mr Foster hier auf dem Land seinen eige-

nen Traum wahr machen wollte, endlich Farmer zu werden.

Max wollte unbedingt einen Hund haben. Und so hatten sie Buddy vor ein paar Wochen gekauft. Er gehörte bereits richtig zur Familie, jeder hatte ihn lieb.

Aber so lange sich Laura erinnern konnte, hatte sie sich immer ein eigenes Pony gewünscht. Und gleich morgen würde sie mit ihrer Mutter zu einer Pferde- und Ponyauktion fahren!

Laura versuchte sich ihr Pony vorzustellen. Welche Farbe es wohl haben wird? Wie groß wird es sein? Und wie alt? Vielleicht ein schwarzes Pony mit vier weißen Fesseln? Oder ein glänzend braunes oder ein schneeweißes mit langer Mähne und glänzendem Schweif? Laura lächelte ver-

14

sunken. Ja, das würde ihr gefallen. Ein wunderschönes weißes Pony.

„Laura!"

Laura schreckte hoch, als ihre Mutter sie
von unten rief, und lief zur Tür.

„Ich habe ein paar Kekse ausgepackt",
sagte ihre Mutter. „Warum kommst du
nicht herunter und teilst sie dir mit Max?"

„In Ordnung", erwiderte Laura und ging
nach unten in die Küche.

Als Laura an diesem Abend zu Bett ging,
sah ihr Zimmer schon viel gemütlicher aus.
Im Schrank hingen ihre Kleider, und sie hatte ihre Bücher und Kuscheltiere ausgepackt.

Mrs Foster strich sanft über Lauras Kopf.
„Zeit, schlafen zu gehen."

Aber Laura wollte noch nicht allein sein.
Es war die erste Nacht in ihrem neuen

Zuhause, und sie fühlte sich irgendwie seltsam. „Liest du mir noch eine Geschichte vor?", bat sie ihre Mutter.

Mit neun Jahren war sie eigentlich schon zu alt, um abends eine Geschichte vorgelesen zu bekommen. Aber dies war keine gewöhnliche Nacht.

Ihre Mutter konnte das gut verstehen. „Natürlich, mein Schatz. Welche möchtest du denn gerne hören?" Fragend blickte sie auf das Bücherregal.

„Das kleine Pony", antwortete Laura und kuschelte sich unter ihre Bettdecke. „Das kleine Pony" war ihre Lieblingsgeschichte. Mrs Foster war Schriftstellerin, und sie hatte die Geschichte extra für Laura geschrieben, als sie gerade drei Jahre alt war. Sie handelte von einem kleinen Pony, das nach einem neuen Zuhause suchte. Es hatte fast schon die Hoffnung aufgegeben, als es eines Tages ein kleines Mädchen traf, das seine Freundin wurde. Von diesem Tag an waren die beiden einfach unzertrennlich.

Ihre Mutter setzte sich auf den Bettrand und schlug das Buch auf. Wie jedes Mal begann sie mit dem allerersten Satz. „Für Laura, mein ganz besonderes kleines Mädchen", las sie leise vor. Dann begann sie die Geschichte. „Es war einmal ein kleines weißes Pony, das nach einem neuen Zuhause suchte ..."

Laura schloss die Augen und lächelte, als sie die vertrauten Worte hörte. Bevor sie einschlief, dachte sie an den nächsten Tag. Morgen um diese Zeit habe ich mein erstes eigenes Pony!

2

Gleich nach dem Frühstück machten sich Laura und ihre Mutter auf den Weg zur Pferdeauktion. Max und ihr Vater blieben mit Buddy zu Hause.

Obwohl es regnete, war schon einiges los auf dem Parkplatz. Pferde wurden hin- und hergeführt, laute Rufe und das Wiehern der Pferde schwirrten durch die Luft.

Streunende Hunde liefen zwischen den Leuten umher, Pferdepfleger eilten mit Striegeln und Sätteln über den Platz.

Laura war ganz aufgeregt. „Wohin gehen wir?"

Ihre Mutter zeigte auf ein Schild. „Die Pferde und Ponys müssten dahinten sein. Die Auktion hat gerade erst begonnen."

Laura folgte ihrer Mutter durch die Menschenmenge, bis sie zu einem großen, überdachten Vorführplatz kamen.

Dort wurde gerade ein braunes Pferd im Trab gezeigt. Ein Mann stand auf einer erhöhten Plattform und rief Preise aus. Seine laute Stimme übertönte den Regen, der auf das Dach prasselte.

„Eintausendzweihundert werden geboten. Wer bietet mehr?" Die Frau neben Laura hob die Hand. Der Mann nickte.

„Eintausenddreihundert für die Dame auf der linken Seite. Wer bietet mehr?"

Laura drehte sich fragend zu ihrer Mutter. „Der, der am meisten bietet, bekommt das Pferd?"

Ihre Mutter nickte. „Der Auktionator, so heißt der Mann auf der Plattform, erhöht so lange den Preis, bis niemand mehr bietet."

„Bietet irgendjemand mehr als eintausenddreihundert?", rief der Auktionator. Als niemand mehr die Hand hob, ergriff er einen kleinen Hammer und schlug damit laut auf den Tisch: „Zum Ersten, zum Zweiten und zum Dritten! Verkauft an die Dame auf der linken Seite."

Die Frau lächelte zufrieden, und das Pferd wurde aus dem Ring geführt. Ein neues Pferd, ein großer Apfelschimmel, wurde hereingebracht.

„Komm, wir schauen uns ein bisschen um", schlug Mrs Foster vor. Sie gingen auf den riesigen Stall hinter dem Vorführplatz zu. Laura blieb fast die Luft weg. Box um Box reihte sich aneinander. Braune waren zu sehen, Füchse und Graue, und alle warteten darauf, vorgeführt zu werden. Laura fand, dass sie ganz schön groß aussahen.

Ihre Mutter war bereits im Stall verschwunden. Aber Laura wollte sich Zeit lassen und sich erst noch ein bisschen umsehen. Sie wollte nichts verpassen! Vorsichtig wich sie einigen Pfützen aus und bahnte sich ihren Weg durch die Menge. Sie stieß fast mit einer älteren Frau zusammen, die einen bunten Regenschirm trug.

Laura ließ ihr den Vortritt, und sie bedankte sich. Doch plötzlich rutschte die

Frau auf dem nassen Boden aus. Fast wäre
sie gestürzt. „Vorsicht!", rief Laura erschro-
cken. Rasch ergriff sie den Ellenbogen der
Frau und hielt sie fest, bis sie wieder sicher
auf den Beinen stand.

„Oh, noch einmal vielen Dank!" Ein breites Lächeln erschien auf dem Gesicht der Frau.

Sie hatte die freundlichsten blauen Augen, die Laura jemals gesehen hatte.

„Gern geschehen", sagte Laura und lächelte ebenfalls. „Ich heiße Laura."

„Hallo, Laura. Nett, dich kennenzulernen", erwiderte die Frau. „Wenn du heute hier auf der Auktion bist, bist du bestimmt ein großer Pferdenarr."

Laura nickte begeistert. „Ich liebe Pferde über alles! Und heute soll ich mein erstes eigenes Pony bekommen."

Sie wollte nicht wie ein verwöhntes Mädchen klingen, aber sie konnte es einfach nicht für sich behalten.

„Na, du hast ja ein Glück!" Die Frau

zwinkerte Laura zu. „Ja, heute bin ich der glücklichste Mensch auf der ganzen Welt!" Laura holte tief Luft. „Ich sollte jetzt besser gehen. Meine Mutter wundert sich bestimmt schon, wo ich geblieben bin. Haben Sie sich nichts getan?"

„Mir geht es gut, danke. Ich hoffe, du findest ein Pony, das dir gefällt."

Laura bedankte sich. Besorgt hielt sie nach ihrer Mutter Ausschau. Als sie sie entdeckt hatte, drehte sie sich zu der Frau um, um sich von ihr zu verabschieden. Aber sie war schon verschwunden. Laura zuckte mit den Achseln und lief rasch in den Stall zu ihrer Mutter. Sie stand vor einer Reihe Boxen mit Ponys. „Da bist du ja endlich, Laura!", sagte sie. „Ich dachte schon, ich hätte dich verloren."

„Keine Chance." Laura grinste. Aufgeregt betrachtete sie die Pferde. In der ersten Box stand ein kleines schwarzes Pony. Die Box daneben war leer. Aber dann kamen zwei hübsche kastanienbraune Ponys mit fast identischen weißen Sternen auf der Stirn. Neben ihnen stand eine ältere graue Stute mit zierlichen Beinen und einem großen Kopf. Und daneben ein Brauner, der ziemlich frech aussah. Außen an jeder Tür hing eine Karte, die Auskunft über das jeweilige Pony gab.

Aber ein weißes Pony, wie es sich Laura gewünscht hatte, war nicht dabei. Doch das machte nichts. Laura holte tief Luft.

„Sie sind alle wundervoll!", erklärte sie begeistert und drehte sich zu ihrer Mutter um.

„Ich weiß nicht. Dieses ist jedenfalls viel zu klein." Mrs Foster betrachtete zweifelnd das kleine schwarze Pony. „Wir suchen doch ein Pferd, das etwa 1,30 Meter groß und mindestens sechs Jahre alt ist. Ein jüngeres Pony ist einfach noch nichts für dich."

Laura lief zu dem frechen kastanienbraunen Pony hinüber und schaute auf die Karte, die an der Tür hing. „Topper", las sie laut vor. „1,30 Meter groß. Vier Jahre alt." Sie war ein bisschen enttäuscht. Er war viel zu jung. Sie streichelte ihn kurz und ging weiter.

Die graue Stute war zu groß, das schwarze Pony tatsächlich zu klein und die kastanienbraunen Ponys waren erst drei Jahre alt. Laura lief die Boxen entlang und las die Verkaufskarten. Viel zu schnell erreichte sie das Ende der Reihe. Keines der Ponys schien für sie passend zu sein.

Ihre Mutter strich ihr tröstend über den Rücken. „Vielleicht ist für dich das richtige heute einfach nicht dabei. Wir können zu einer anderen Auktion wiederkommen. Die nächste ist schon in einem Monat."

Ein ganzer Monat! Enttäuscht schaute Laura sich um. So lange konnte sie nicht warten. „Das kleine schwarze Pony ist doch gar nicht soo klein", warf sie verzagt ein. „Und es ist wirklich süß ..."

Genau in diesem Moment erklang vom Eingang her Hufgetrappel. Erwartungsvoll schaute Laura sich um. Ein Mann führte ein etwas verwahrlost aussehendes graues Pony aus dem Tierarzt-Zelt und auf eine noch leer stehende Box zu.

„Ich dachte schon, ich schaffe es nicht mehr rechtzeitig zur Auktion", sagte er, als er Laura und ihre Mutter bemerkte.

Das Pony sah traurig aus. „Hallo, mein Kleiner." Laura ging zu ihm. Als das Pony ihre Stimme hörte, hob es seinen Kopf und stellte neugierig die Ohren auf. Es wieherte leise, und Laura fühlte, wie ihr Herz einen großen Sprung machte. Es war ihr plötzlich ganz egal, ob das Pony verwahrlost aussah. Dies war genau das Pony, das sie haben wollte.

„Wie alt ist es denn?", fragte sie den Besitzer vorsichtig. „Sternenschweif? Der ist sieben", erwiderte der Mann. Aufgeregt drehte sich Laura zu ihrer Mutter um. „Sternenschweif, was für ein wunderschöner Name! Er hat genau das richtige Alter!"

Das Pony machte einen Schritt auf Laura zu und berührte mit seinen Nüstern vorsichtig ihre Hand. Sein Atem fühlte sich ganz warm an, als es sie beschnupperte.

„Können wir ihn kaufen? Bitte!", drängte Laura ihre Mutter. Der Mann lächelte. „Du suchst also ein Pony?"

„Ja", erwiderte Mrs Foster anstelle von Laura. Sie ging auf Sternenschweif zu und musterte ihn aufmerksam. „Warum soll er denn verkauft werden, Mr ...?"

„Roberts, Cliff Roberts", antwortete der Mann und gab beiden die Hand. „Das Pony soll verkauft werden, weil meine Tochter Jade es nicht mehr haben möchte", erklärte er. „Ich habe Sternenschweif erst vor ein paar Monaten gekauft, aber er ist ihr zu ruhig und nicht hübsch genug.

Ich habe ihr gerade ein anderes Pony gekauft, mit dem sie auf Turniere gehen kann. Deshalb wollen wir Sternenschweif verkaufen."

„Können wir ihn nicht kaufen?", fragte Laura ihre Mutter noch einmal flehend.

„Auf jeden Fall musst du ihn erst einmal Probe reiten." Ihre Mutter wandte sich an den Besitzer. „Wäre das möglich, Mr Roberts?"

Der Mann lächelte. „Aber natürlich. Es hat aufgehört zu regnen. Ich hole rasch den Sattel."

Ein paar Minuten später ritt Laura rund um den Übungsplatz. Sternenschweif war wundervoll! Schon beim kleinsten Druck ihrer Schenkel ging er schneller und beim leichtesten Ziehen an den Zügeln lang-

samer. Es war fast, als könnte er ihre Gedanken lesen.

„Das ist wirklich erstaunlich!", rief
Mr Roberts überrascht aus, als Laura mit
Sternenschweif am Gatter anhielt und

abstieg. „Das hat er bei Jade nie gemacht. Er muss dich wirklich mögen."

„Und wie ich ihn erst mag!!" Lauras Augen strahlten. Sie streckte ihre Hand aus, und das Pony kam näher und blies seinen Atem sanft ins Lauras Gesicht.

„Bitte, bitte, können wir ihn kaufen?", bettelte sie. „Er ist so wundervoll."

„Er scheint auf jeden Fall gut erzogen zu sein." Mrs Foster tätschelte Sternenschweifs Hals. „Vielleicht bieten wir für ihn, wenn er dran ist."

Laura erinnerte sich mit Schrecken daran, dass derjenige, der den höchsten Preis bot, den Zuschlag für das Pony bekam. „Aber jemand anders könnte mehr bieten als wir." Sie war ganz aufgeregt. „Können wir ihn nicht einfach jetzt kaufen?"

„Wenn Sie das möchten, wäre ich damit einverstanden", sagte Mr Roberts zu Lauras Mutter. „Ich müsste die Auktionsgebühr nicht bezahlen und würde dadurch Geld sparen. Wie wäre es mit ..." Er überlegte einen Moment und nannte dann einen Preis. „Den Sattel und das Zaumzeug gebe ich Ihnen noch mit dazu." Laura schaute ihre Mutter beschwörend an und drückte ganz fest beide Daumen. Der Gedanke, dass Sternenschweif auf der Auktion angeboten und an jemand anders verkauft würde, war für sie einfach unerträglich. Oh bitte, flehte sie stumm. Bitte sag Ja.

Ihre Mutter lächelte. „In Ordnung, Mr Roberts. Wir nehmen Ihr Angebot an."

Laura konnte es kaum glauben. Sie war überglücklich. Stürmisch umarmte sie Sternenschweif. „Oh, Sternenschweif, mein Sternenschweif! Jetzt gehörst du mir!"

Das kleine graue Pony schnaubte zufrieden. Ganz so, als würde es sich auch freuen.

3

Sie verabredeten, dass Mr Roberts Sternenschweif am nächsten Morgen vorbeibringen würde. „So haben wir genug Zeit, um alles zu kaufen, was wir noch brauchen, und um die Koppel und den Stall in Ordnung zu bringen", sagte Mrs Foster zu Laura.

Auf dem Weg nach Hause machten die beiden in einem Reitgeschäft am Stadtrand halt. Eine sehr nette Verkäuferin, Jenny, war ihnen beim Einkauf behilflich. Bald türmten sich Bürsten, ein Erste-Hilfe-Koffer, ein Futtereimer und ein Halfter auf der Ladentheke. Der Stapel wuchs und wuchs, bis Laura endlich alles zusammenhatte, was sie brauchte.

Jenny half ihnen, alles im Auto zu verstauen.

„Viel Spaß mit deinem neuen Pony!", rief sie Laura zum Abschied zu.

Laura strahlte über beide Backen. „Vielen Dank! Den werde ich bestimmt haben!"

Als Jenny wieder im Laden war, bemerkte Laura eine kleine Buchhandlung, die zwischen dem Reitgeschäft und einem Elektrowarenladen nur wenig Platz hatte. Ein altmodisches, goldenes Schild hing über dem Schaufenster.

MRS FONTANAS NEUE UND GE-
BRAUCHTE BÜCHER, stand darauf. „Sieh
nur, Mum", sagte sie.

„Sollen wir einen Blick hineinwerfen?",
fragte ihre Mutter.

Laura nickte begeistert. Ihre Mutter lieb-
te Buchhandlungen ebenso wie sie, und
diese hier sah äußerst interessant aus.

Sie gingen den Gehweg entlang. Durch
das Glasfenster in der Eingangstür sah
Laura einen mit Rosen gemusterten Teppich und unzählige Regale voller Bücher.

Mrs Foster öffnete die Tür. Ein Glöck-
chen erklang, und sie traten ein.

„Wow!" Laura war begeistert. Überall
waren Bücher! Alte Bücher, neue Bücher,
und nicht nur in den Regalen. Etliche
Bücherstapel türmten sich auch vor den

Regalen und im Rest des Ladens. Dazwischen gab es noch genug Platz für ein paar Sessel, die vor einem hübschen Kamin standen. Ein großes Schild lud dazu ein, sich gemütlich hinzusetzen und in den Büchern zu schmökern. Es war die schönste und außergewöhnlichste Buchhandlung, die Laura jemals gesehen hatte.

Plötzlich war ein leises Trippeln zu hören, und ein kleiner weißer Terrier mit einem schwarzen Fleck über dem Auge lief auf sie zu. „Schau nur, Mum!", rief Laura. Sie kniete sich hin, und der Terrier leckte ihre Hand zur Begrüßung. Mrs Foster beugte sich hinunter und streichelte ihn. „Hallo, Kleiner", begrüßte sie den Hund.

„Ist er nicht süß?", schwärmte Laura.

„Ich sehe, Sie haben sich schon mit Walter bekannt gemacht."

Laura und ihre Mutter blickten auf. Eine ältere Frau kam auf sie zu. Sie trug ein geblümtes Kleid und um die Schultern ein besticktes Tuch. Laura schnappte überrascht nach Luft. Das war die Frau, die sie heute Morgen auf der Auktion getroffen hatte! Diese blauen Augen gab es bestimmt kein zweites Mal.

„Hallo, Laura", sagte die Frau und lächelte sie freundlich an.

„Ihr kennt euch?", fragte Lauras Mutter verwundert.

„Wir haben uns heute Morgen auf der Auktion kennengelernt." Die Frau streckte ihre Hand aus. „Ich bin Mrs Fontana. Mir gehört die Buchhandlung."

„Alice Foster", stellte sich Lauras Mutter vor und schüttelte die ausgestreckte Hand. „Wir sind gerade erst hierhergezogen. Haben Sie etwas dagegen, wenn wir uns ein wenig umsehen?"

„Aber natürlich nicht", erwiderte Mrs Fontana. Sie lächelte Laura zu. „In dem Raum nebenan gibt es jede Menge Bücher, die dir bestimmt gefallen."

Laura ließ ihre Mutter allein weiterstöbern und lief in den nächsten Raum. Dort gab es lauter Kinderbücher. An den Wänden hingen zwar keine bunten Plakate oder Bilder wie in den meisten anderen Buchhandlungen. Dafür lagen viele weiche Sitzkissen auf dem Boden, und auf einem großen Tisch türmten sich die unterschiedlichsten Bücher.

Laura schaute die Stapel rasch durch
und entschied sich kurzerhand für ein Buch
mit Ponygeschichten.

Sie machte es sich auf einem der Kissen
bequem und begann zu lesen.

Plötzlich hörte sie das Getrippel von
Pfoten. Es war Walter. Er setzte sich neben
sie und schaute sie mit schief gelegtem
Kopf an. Laura kraulte ihn unter dem Kinn.

„Er mag dich", stellte Mrs Fontana fest. Laura fuhr hoch. Die Ladenbesitzerin schien plötzlich wie aus dem Nichts aufgetaucht zu sein.

Wieder lächelte sie Laura zu. „Welches Buch hast du dir ausgesucht?"

Ein wenig schüchtern zeigte Laura ihr das Buch mit den Ponygeschichten.

„Ich dachte mir schon, dass dir das gefallen würde", sagte Mrs Fontana. Ihre blauen Augen blickten Laura forschend an. „Hast du dein Pony heute Morgen denn gefunden?"

„Oh ja, das habe ich!", rief Laura immer noch ganz aufgeregt. „Morgen kommt es zu uns. Es heißt Sternenschweif und ist einfach wundervoll!"

Mrs Fontana starrte sie einen Moment

an, dann drehte sie sich schwungvoll herum.

„Weißt du was", sagte sie über die Schulter. „Ich glaube, ich habe genau das richtige Buch für dich. Es ist hier oben."

Laura beobachtete, wie Mrs Fontana eine Trittleiter holte und hinaufstieg, um an das oberste Regal zu gelangen. „Da ist es ja." Mrs Fontana zog ein verstaubtes, dunkelrotes Buch hervor. Sie kletterte die Leiter wieder herunter und überreichte es Laura.

Laura betrachtete das schwere Buch. Es war in Leder gebunden, und der Titel schimmerte golden. „Geschichte der Einhörner", las sie laut vor.

Vorsichtig öffnete sie das Buch. Die Seiten fühlten sich ganz weich an und waren

durch die Jahre schon gelblich verfärbt.
Es war ganz schön dick, und es gab einige
ganz tolle Bilder darin: Einhörner, die über
den Wolken galoppierten und auf saftigem
Gras weideten.

„Das sieht wunderschön aus." Laura betrachtete gebannt Seite für Seite.

Mrs Fontana nickte zustimmend. „Das
finde ich auch."

Beim nächsten Bild hielt Laura erstaunt
inne. Kein Einhorn war darauf zu sehen.
Nur ein kleines graues Pony.

„Das ist ein junges Einhorn", sagte Mrs
Fontana, die das Bild ebenfalls betrachtete.

„Aber es hat doch gar kein Horn!"

„Ja, weißt du, junge Einhörner haben
noch kein Horn", erklärte Mrs Fontana.
„Das Horn wächst erst, wenn jemand an

ihrem zweiten Geburtstag die Zauberworte spricht. Dann erhalten sie ihre magischen Kräfte und werden zu den Wesen, die wir Einhörner nennen."

Laura schaute Mrs Fontana erstaunt an. Das klang so, als würde Mrs Fontana tatsächlich daran glauben, dass es Einhörner gab.

„Aber Einhörner leben doch nicht wirklich, oder? Sie sind doch nur erfunden, genauso wie Feen, Drachen und Trolle."

„Du glaubst also nicht, dass es Feen, Drachen und Trolle wirklich gibt?" Mrs Fontana runzelte fragend die Stirn.

„Auf keinen Fall." Laura grinste.

„Und warum nicht?", wollte Mrs Fontana wissen.

Als Laura in Mrs Fontanas blaue Augen

blickte, war sie sich gar nicht mehr so sicher. „Na ja, niemand hat sie jemals gesehen", stammelte sie.

„Vielleicht, weil sie nicht gesehen werden wollen", erwiderte Mrs Fontana. Sie schaute sich um. Dann rückte sie noch ein bisschen näher. „Soll ich dir ein Geheimnis verraten? Ich habe ein Einhorn tatsächlich gesehen."

Laura starrte sie entgeistert an.

Mrs Fontana schien ihre Gedanken zu erraten. „Keine Angst, Laura. Ich bin nicht verrückt. Alles, was man braucht, sind die Zauberworte, gesprochen von der richtigen Person, eine Handvoll ganz besonderer Blumen – und natürlich ein Einhorn."

Plötzlich erklangen Schritte. „Bist du fertig?", rief Mrs Foster. „Wir sollten uns jetzt wieder auf den Weg machen."

Mrs Fontana stand sofort auf. Laura hatte das Gefühl, als sei sie aus einem Traum geweckt worden.

„Was ist denn das?", wollte ihre Mutter wissen, als sie das Buch sah.

„Ein ... ein Buch über Einhörner", stotterte Laura und stand ebenfalls auf.

Mrs Foster nahm das Buch in die Hand. Sie betrachtete den weichen Ledereinband und die Bilder, die in allen Farben leuchteten. „Dieses Buch ist bestimmt sehr teuer. Ich glaube nicht, dass wir uns das leisten können."

Laura nickte. Eigentlich hatte sie das auch gar nicht erwartet.

„Aber ich möchte, dass du es be-
kommst", sagte Mrs Fontana sanft.

Laura schaute sie überrascht an. Die
Ladenbesitzerin lächelte.

„Betrachte es einfach als Willkommens-
geschenk."

„Aber Mrs Fontana, das können wir
doch nicht annehmen", wandte Lauras
Mutter ein.

„Doch, das können Sie. Es ist ein ganz
besonderes Buch, und es braucht ein gutes
Zuhause. Eine innere Stimme sagt mir, dass
Laura gut darauf aufpassen wird."

„Oh ja, das werde ich ganz bestimmt!",
versprach Laura aufgeregt. „Vielen Dank,
Mrs Fontana." Vorsichtig ergriff sie das
Buch mit beiden Händen und drückte es
fest an sich.

Mrs Fontana verabschiedete sich von ihnen. „Kommen Sie bald wieder vorbei", sagte sie. „Und viel Glück auf der Farm!"

„Wir kommen bestimmt wieder. Und vielen Dank für das schöne Willkommens-geschenk", erwiderte Mrs Foster.

Mit einem Klingeln fiel die Tür hinter

ihnen ins Schloss. Plötzlich durchfuhr es Laura: „Woher wusste Mrs Fontana, dass wir auf die Farm gezogen sind? Wir haben es ihr doch gar nicht gesagt", fragte sie ihre Mutter.

Mrs Foster stutzte. „Tatsächlich nicht?"

„Nein, bestimmt nicht", sagte Laura.

Ihre Mutter zuckte die Achseln. „Weißt du, das ist eine kleine Stadt. Neuigkeiten sprechen sich hier schnell herum. Aber jetzt komm! Dad und Max wundern sich bestimmt schon, wo wir so lange bleiben."

Sie stiegen ins Auto. Als ihre Mutter den Wagen startete, drehte sich Laura noch einmal zur Buchhandlung um. Walter saß im Schaufenster und schaute nach draußen. Es sah fast so aus, als würde der kleine Hund ihr zulächeln.

50

4

Auf dem Heimweg blätterte Laura in dem wunderschönen Buch, das sie gerade geschenkt bekommen hatte. Als sie zu der Seite kam, auf der das junge Einhorn zu sehen war, konnte sie beinahe Mrs Fontanas Stimme hören, die sagte:

„Ich habe ein Einhorn gesehen."

Vorsichtig strich Laura über die Buchseiten. Sie war sich sicher, dass Mrs Fontana sich die ganzen Geschichten über magische Wesen nur ausgedacht hatte. Sie

hatte bestimmt kein echtes Einhorn gesehen. Oder etwa doch?

Natürlich nicht, sagte Laura zu sich
selbst. Mrs Fontana hatte einfach zu viele
Bücher gelesen.

„Na, was habt ihr alles eingekauft?", begrüßte Mr Foster sie. Er war aus dem Haus
gekommen, als er den Wagen auf den
Hof hatte fahren hören. Max folgte ihm
dicht auf den Fersen.

„Schrecklich viel", rief Laura begeistert,
als sie aus dem Auto stieg.

„Kann ich das sehen?" Neugierig öffnete
Max den Kofferraum und zog einen Huf-
kratzer aus einer der Einkaufstüten. „Was
ist denn das?"

„Komm schon, Max", sagte Mr Foster.

„Laura kann uns alles erklären, während wir das Auto ausladen."

Mrs Foster ging ins Haus, um noch ein paar übrig gebliebene Umzugskartons aus-zupacken. Laura, Max und ihr Vater trugen die vielen Tüten in den kleinen Schuppen, der Sternenschweifs Sattelkammer wer-den sollte. Mr Foster schlug zwei große Haken in die Wand, einen für Sternen-schweifs Zaumzeug und einen für sein neues, rot-blaues Halfter. Dann holte er noch einen Tisch und einen alten gestreif-ten Teppich aus der Garage.

Mit dem Teppich auf dem Boden, der hell leuchtenden Glühbirne an der Decke und Lauras glänzendem neuen Putzzeug sah die kleine Sattelkammer jetzt richtig gemütlich aus.

Zufrieden schaute Laura sich um. „Das ist wirklich toll geworden!"

„Jetzt fehlt nur noch Sternenschweif", sagte Mr Foster und zwinkerte Laura zu. Laura stellt sich vor, wie Sternenschweifs grauer Kopf aus der Stalltür schau-

en würde. „Ich kann es kaum erwarten",
sagte sie.

Als Laura an diesem Abend zu Bett ging,
nahm sie das Buch mit, das Mrs Fontana
ihr geschenkt hatte. Sie schlug das erste
Kapitel auf. „Noah und die Einhörner",
flüsterte sie die Überschrift vor sich hin.

*Vor vielen, vielen Jahren bedrohte eine große
Flut das Leben aller Tiere und aller magischen Geschöpfe. Die magischen Geschöpfe
suchten Zuflucht in Arkadia, einem ver-
zauberten Land, das den Menschen immer
verborgen bleiben würde. Währenddessen
versammelte Noah zwei Tiere von jeder
Art auf seiner Arche, einem großen Schiff,
das er selbst gebaut hatte. Als der große
Regen begann, erblickte Noah zwei kleine*

graue Ponys auf den grünen Weiden neben dem immer weiter ansteigenden Meer.

Er wollte sie retten und brachte sie zu den anderen Tieren auf seine Arche.

Durch einen magischen Spiegel beobachteten die Einhörner in Arkadia voller Dankbarkeit, wie sich Noah um die beiden Tiere kümmerte. Denn in Wirklichkeit waren diese grauen Ponys junge Einhörner, die noch nicht im Besitz ihrer magischen Kräfte waren. Auf der Flucht nach Arkadia mussten sie von ihrer Herde zurückgelassen werden.

Während sie auf der Arche lebten, kam der Zeitpunkt, als die Einhörner ihre magischen Kräfte erhalten sollten. Aber niemand wusste von ihrem Geheimnis, und eines Tages war es zu spät für die Verwandlung. Die Einhörner in Arkadia trauerten.

Nach einem Jahr sank das Hochwasser. Gemeinsam mit den anderen Tieren ließ Noah die jungen Einhörner frei. Sie mussten auf der Erde bleiben, gefangen in den Körpern von Ponys.

Während die Zeit verging, suchten die Einhörner in Arkadia verzweifelt nach einem Zauberspruch, der den Einhörnern doch noch zu ihren magischen Kräften verhelfen könnte. Es dauerte viele Jahre, bis sie ihn endlich gefunden hatten. Dieser Zauberspruch konnte aber nur dann seine Wirkung entfalten, wenn er von einem Menschen gesprochen wurde, der ein gutes Herz hatte und an die Macht des Zaubers glaubte.

Das mutigste Einhorn setzte all seine Kräfte ein, um auf die Erde zurückzufliegen. Es suchte lange und mit viel Geduld nach einem Menschen, dem es das Geheimnis der Einhörner anvertrauen konnte. Und endlich hatte es ihn gefunden!

Der Zauberspruch wirkte, und die beiden jungen Ponys verwandelten sich. Auf ihrer Stirn wuchsen wunderschöne Hörner, und sie konnten wie Engel durch die Lüfte fliegen. Sie wurden die Freunde des Menschen, der ihnen geholfen hatte, ihre magischen Kräfte zurückzuerlangen. Gemeinsam erlebten sie viele aufregende Abenteuer.

5

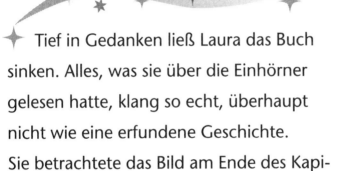

Tief in Gedanken ließ Laura das Buch
sinken. Alles, was sie über die Einhörner
gelesen hatte, klang so echt, überhaupt
nicht wie eine erfundene Geschichte.

Sie betrachtete das Bild am Ende des Kapi-
tels. Es zeigte ein wunderschönes Einhorn, das hoch über den Wolken dahin-
galoppierte.

Ich wünschte, die Geschichte wäre wahr,
dachte Laura. Ich wünschte, es gäbe immer noch Einhörner auf der Erde. Ich wür-

de ihnen so gerne helfen, ihre Kräfte wieder-
zuerlangen.

Dann lächelte sie. Vielleicht gab es keine
Einhörner, aber Sternenschweif existierte
wirklich. Und morgen würde er bei ihr sein!

Gegen zehn Uhr kam Mr Roberts endlich
mit Sternenschweif. Er ließ Laura in den
Pferdetransporter steigen, und Sternenschweif wieherte ihr zur Begrüßung entgegen.

„Hallo, mein Kleiner", flüsterte Laura und
strich ihm sanft über die Nüstern.

Sternenschweif blickte sie an. Seine
dunklen Augen schienen ihren Gruß zu er-
widern.

Mr Roberts ließ die Rampe hinab. „Jetzt
kannst du ihn herausführen, Laura!", rief er.

Laura löste Sternenschweifs Strick und führte ihn vorsichtig aus dem Transporter. Ihre Eltern und Max schauten ihr dabei zu.

„Hallo, mein Junge", sagte Mrs Foster und bot Sternenschweif eine Möhre an.

„Der ist aber ganz schön dreckig", schimpfte Max, als er Sternenschweif auf die Brust klopfte und eine Staubwolke aufstieg.

Sternenschweif wieherte, gerade so, als ob er Max zustimmen wollte.

Mr Roberts lächelte schuldbewusst. „Meine Tochter ist leider viel zu sehr mit ihrem neuen Pony beschäftigt. Sie hat sich gar nicht mehr um Sternenschweif gekümmert." Er schaute Laura an.

„Du bist genau wie Jade. Sie ist auch ganz verrückt nach Ponys."

Laura war sich da nicht so sicher. Wenn Mr Roberts' Tochter wirklich so verrückt nach Ponys wäre, hätte sie sich besser um Sternenschweif gekümmert. Aber das behielt sie natürlich für sich.

Während ihre Eltern Mr Roberts sein Geld gaben, führten Laura und Max Sternenschweif zu seinem neuen Stall.

„Wirst du ihn jetzt gleich reiten, Laura?", wollte Max wissen.

„Nein. Ich werde ihn erst einmal gründlich putzen."

Laura band Sternenschweif außen am Stall an und holte das Putzzeug.

„Kann ich dir helfen?", bot Max eifrig seine Hilfe an.

„Einverstanden", sagte Laura und gab ihm eine Bürste mit ganz dicken Borsten, mit der man besonders gut Dreck und Staub entfernen konnte.

Sternenschweif rieb seine Nase liebevoll an Lauras Schulter. Sie strahlte und gab ihm einen Kuss auf die Nase. Nie in ihrem Leben hatte sie sich glücklicher gefühlt!

Zwei Stunden später sah Sternenschweif schon viel besser aus. Laura und Max hatten ihn nicht nur gestriegelt, sondern auch seine Mähne und seinen Schweif gewaschen. Jetzt, ohne den ganzen Staub, wirkte sein Fell nicht mehr schmutzig dunkelgrau, sondern hatte eine schöne, blassgraue Farbe angenommen.

Laura hatte sein altes, abgenutztes Halfter durch das neue, rot-blaue ersetzt, das sie mit ihrer Mutter gestern gekauft hatte.

Aber trotz all ihrer Mühen sah Sternenschweif immer noch ein bisschen struppig
aus. Sein Fell wollte überhaupt nicht glänzen, aber Laura war das egal.

Ihre Mutter half ihr, Sternenschweif zu
satteln, und dann ritt Laura ihn zum ersten
Mal auf der Koppel. Wie am Tag zuvor

schien er genau zu wissen, was sie von ihm wollte, und bald galoppierten sie in völliger Eintracht über den Platz. Als Laura am Gatter anhielt, war ihr Gesicht gerötet, und ihre Augen glänzten. „Er ist einfach wundervoll!" Sie strahlte ihre Mutter an, die sie gemeinsam mit Max beobachtet hatte. „Darf ich mit Sternenschweif ein bisschen in den Wald reiten?" Laura sah ihre Mutter erwartungsvoll an. „Wenigstens ein kleines Stück?"

Die beiden schienen sich wirklich gut zu verstehen. Nach einem kurzen Zögern gab Mrs Foster nach. „Aber bleibt nicht zu lange weg."

„Bestimmt nicht. Versprochen." Schnell stieg Laura wieder auf und ritt mit Sternenschweif aus der Koppel.

Hinter dem Haus gab es einen dichten Wald. Als sie mit Sternenschweif unter den Bäumen entlangritt, fühlte sie, wie er seine Ohren aufstellte und schneller ging.

Laura lächelte glücklich. „Hier gefällt es dir, nicht wahr?"

Sternenschweif schnaubte wie zur Bestätigung und begann zu traben. Laura hatte nichts dagegen, und bald fing Sternenschweif an zu galoppieren. Sie folgten dem Weg tiefer in den Wald. Es war so still, dass sie nur den dumpfen Klang von Sternenschweifs Hufen auf dem weichen Waldboden und das Zwitschern der Vögel in den Baumkronen hörten. Laura hätte ewig so weiterreiten können! Aber dann fiel ihr ein, was sie ihrer Mutter versprochen hatte. Also ließ sie Sternenschweif in einen ge-

mütlichen Schritt zurückfallen. Sie mussten
umkehren.

Doch plötzlich drehte er den Kopf zur
Seite. Ein schmaler Pfad zweigte vor ihnen
vom Hauptweg ab. Sternenschweif zog an
den Zügeln und wollte die Abzweigung er-

kunden, aber Laura hielt ihn zurück.

„Nein. Wir müssen jetzt wirklich wieder nach Hause, Sternenschweif", ermahnte Laura ihn. Aber er versuchte es noch einmal und zog an den Zügeln.

„Beim nächsten Mal reiten wir hier entlang", versprach Laura ihm. Widerwillig gab er nach, sie drehten um und ritten zur Farm zurück.

Als Laura an diesem Abend im Bett lag und ihr Einhornbuch aufschlug, stieß sie auf ein Bild, das sie ewig hätte anschauen können. Einhörner grasten auf einer saftigen Weide, die mit violetten, sternförmigen Blüten bedeckt war. Der Himmel leuchtete rosa und war mit orangenen und goldfarbenen Streifen überzogen, so als würde die Sonne

gerade untergehen. Laura begann zu
lesen ...

*Als die beiden Einhörner alt geworden waren,
kehrten sie nach Arkadia zurück. Die
ältesten der Einhörner beschlossen, dass von
nun an immer junge Einhörner auf die Erde
geschickt werden sollten, um gute Taten zu
vollbringen. Eigentlich sehen sie wie kleine
Ponys aus. Jedes von ihnen hofft, den Menschen zu finden, der ihm helfen kann, seine
magischen Kräfte zum Leben zu erwecken.
Dafür braucht man den richtigen Zauberspruch, ein Haar aus der Mähne des Einhorns, die Blütenblätter der Mondblume und
das Licht des Silbersterns, der nur für zehn
Minuten nach Sonnenuntergang scheint.*

Laura blätterte weiter und stieß auf das Bild des jungen Einhorns, das sie gemeinsam mit Mrs Fontana betrachtet hatte. Es sah genauso struppig und grau aus wie Sternenschweif.

Vielleicht ist Sternenschweif ja auch ein Einhorn, dessen magische Kräfte noch nicht zum Leben erweckt wurden, durchfuhr es Laura plötzlich.

Dann musste sie lächeln. Sie war wirklich richtig albern. Schließlich war das doch nur eine Geschichte, die sich jemand ausgedacht hatte. Und Sternenschweif ein ganz normales Pony. Oder etwa doch nicht?

6

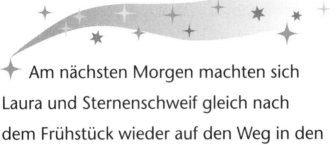

Am nächsten Morgen machten sich
Laura und Sternenschweif gleich nach
dem Frühstück wieder auf den Weg in den
Wald. Laura fühlte sich ein wenig einsam,
als sie so allein unterwegs war. Ich wünschte, jemand würde mit mir ausreiten, dachte
sie. Aber vielleicht würde sie ja neue Freunde finden, wenn die Schule wieder begann.

Als sie die ersten Bäume erreichten,
stellte Sternenschweif seine Ohren auf und
zog an den Zügeln. Er war ungeduldig und
wollte schneller gehen.

„Ist ja schon gut", sagte Laura und ließ ihn traben. Sie waren vielleicht zehn Minuten geritten, als Sternenschweif plötzlich stehen blieb.

„Komm, mein Kleiner, geh weiter", trieb Laura ihn an. Aber Sternenschweif rührte sich nicht vom Fleck. Er schüttelte den Kopf und blickte ständig nach links.

Plötzlich fiel Laura auf, dass sie genau an der Stelle von gestern angekommen waren, wo links vom Hauptweg der Seitenweg abzweigte. Den wollte Sternenschweif auch heute wieder unbedingt erkunden.

Sie überlegte einen Moment. Es würde doch niemand etwas dagegen haben, wenn sie dort ein Stück entlangritten?

„In Ordnung", gab sie nach. Neugierig lenkte sie Sternenschweif auf den Weg. Der

Pfad war schmal, und die Bäume bildeten ein undurchdringliches Dach über den beiden. Kaum ein Sonnenstrahl drang hindurch. Es war, als würden sie durch einen langen, grünen Tunnel reiten. Stille umschloss sie, und Laura begann sich zu fragen, wohin der Weg sie wohl führen würde.

„Vielleicht sollten wir lieber umkehren", flüsterte sie Sternenschweif zu. Aber das Pony zog eifrig an den Zügeln. Es wollte auf keinen Fall umkehren.

Auf einmal wurde es in der Ferne heller. Es sah aus, als würden sie bald das Ende des Blättertunnels erreichen.

Laura war gespannt, was sie dort er- warten würde. Sie ließ Sternenschweif weitertraben, und das Pony trug sie

aus dem Wald hinaus auf eine grüne
Lichtung.

Hier war es wunderschön. In der
Mitte der Lichtung erhob sich ein sanft

gewellter Hügel, der über und über mit violetten Blumen bedeckt war. Darüber tänzelten gelbe Schmetterlinge im Sonnenlicht.

Sternenschweif ging auf den Hügel zu. Als Laura genauer hinschaute, erkannte sie, dass die Blumen wie kleine Sterne aussahen. Ein kleiner goldener Punkt schmückte die Spitze jedes Blütenblattes. Laura stutzte. Sie war sich ganz sicher, dass sie diese Blüten schon einmal gesehen hatte. Aber sie wusste nicht mehr, wo.

Sternenschweif schnaubte leise und senkte seinen Kopf. Laura dachte, er wollte von den Blumen naschen, und zog ihn zurück. „Nein, Sternenschweif! Die solltest du besser nicht fressen!"

Aber dann bemerkte sie, dass er gar nicht fressen wollte, sondern nur an ihnen schnupperte. Laura wurde neugierig und stieg ab.

Sie nahm die Zügel in die Hand und

schaute sich die Blumen ganz genau
an. Wo hatte sie sie bloß schon einmal
gesehen?

Sternenschweif wieherte und stupste
sie an, als ob er ihr etwas sagen wollte.
Laura schüttelte den Kopf. Er ist doch nur
ein Pony, ermahnte sie sich.

Sie blickte sich um. Die Lichtung war
so schön und friedlich, dass sie gar nicht
wieder fortwollte. Aber sie wusste genau,
dass sie sich auf den Heimweg machen
mussten. Also stieg sie wieder auf und ritt
mit Sternenschweif in den Wald zurück.

Als sie wieder auf den Hauptweg kamen,
begrüßte sie das Zwitschern der Vögel
in den Baumkronen. Laura trieb Sternenschweif an, und die beiden galoppierten
nach Hause zurück.

Kaum angekommen, lief Laura in das Arbeitszimmer ihres Vaters, in dem es viele Bücher über Pflanzen gab. Sie nahm das größte aus dem Regal und blätterte das Kapitel über Waldblumen durch. Sie entdeckte einige mit violetten Blüten. Doch keine von ihnen hatte sternenförmige Blüten oder goldene Punkte auf den Blütenblättern. Laura suchte noch in zwei weiteren Büchern, aber sie konnte keine Blume finden, die genauso aussah wie die auf der Lichtung.

Enttäuscht schlug sie das letzte Buch zu und seufzte. Sie war sich so sicher, dass sie die Blumen schon einmal irgendwo gesehen hatte.

„Ach, da bist du. Ich habe dich gesucht." Mrs Foster betrat das Arbeitszimmer. „Was machst du denn?"

„Ich wollte nachschauen, wie eine Blume heißt, die ich im Wald gesehen habe", antwortete Laura. Sie überlegte, ob ihre Mutter sie vielleicht kannte. „Sie ist violett, sieht aus wie ein Stern, und die Spitze der Blütenblätter hat einen goldenen Punkt."

„Tut mir leid, so eine Blume habe ich noch nie gesehen. Sie ist bestimmt sehr selten. Aber", ihre Mutter wechselte das Thema, „jetzt müssen wir dir erst einmal ein paar Sachen für die Schule besorgen. Warum gehst du nicht rasch nach oben und ziehst dich um? Dann fahren wir zum Einkaufen in die Stadt."

Laura war sofort einverstanden. Sie lief in ihr Zimmer und suchte sich schnell ein paar saubere Jeans und einen Pullover heraus. Das Einhornbuch lag auf ihrem Nachttisch. Die Seite mit den grasenden Einhörnern war immer noch aufgeschlagen. Während Laura in ihre Jeans schlüpfte, schaute sie das Bild an: die Einhörner, das saftige Gras, die violetten Blumen ... Die violetten Blumen!

Ungläubig starrte Laura auf das Bild. Das waren doch genau die gleichen Blumen, die sie heute Morgen auf der Lichtung im Wald gesehen hatte!

7

Laura riss das Buch an sich. Die Blumen auf dem Bild hatten auch die Form eines Sterns und einen goldenen Punkt auf den Blütenblättern. Ein total verrückter Gedanke durchfuhr sie. Hatte sie nicht gelesen, dass Einhörner, die in der Gestalt von Ponys gefangen waren, befreit werden konnten, wenn man den richtigen Zauberspruch aufsagte und dabei eine bestimmte Blüte in den Händen hielt?

Was wäre, wenn die Blumen, die sie im

Wald entdeckt hatte, genau die wären, die man für die Verwandlung brauchte?

Aufgeregt blätterte sie weiter. Endlich fand sie die Stelle, wo beschrieben wurde, wie solche Ponys in Einhörner verwandelt werden konnten. In der Mitte der Seite war eine kleine violette Blume abgebildet, die genauso aussah wie die im Wald. Darunter stand:

Die Mondblume: eine seltene, violett blühende Pflanze, die für den Verwandlungszauber benötigt wird.

Laura stockte der Atem. Sie hatte die Blume gefunden! Die Blume, die den Einhörnern ihre magischen Kräfte zurückgeben konnte. Laura erinnerte sich, wie

Sternenschweif an den Blumen auf der Lichtung geschnuppert hatte.

Vielleicht war die Geschichte tatsächlich wahr. Und vielleicht, wer weiß, war Sternenschweif ein Einhorn, das befreit werden musste! Und sie könnte ihm seine wahre Gestalt als Einhorn schenken. Ihr Herz raste

bei dem Gedanken. Wenn sie den Zauberspruch fände, dann würde sie es auspro-
bieren.

„Laura! Wo bleibst du denn?", rief ihre
Mutter von unten. Laura wollte das Buch
am liebsten gar nicht wieder aus der Hand
legen. Bestimmt war der Zauberspruch
irgendwo dadrin zu finden.

„Laura!", rief ihre Mutter lauter. Zögernd
klappte Laura das Buch zu. „Ich komme ja
schon", antwortete sie und lief die Treppe
hinunter.

Eigentlich kaufte Laura schrecklich gerne Sachen für das neue Schuljahr ein. Aber nicht
heute. Das Einzige, woran sie denken konnte, war, ob Sternenschweif ein Einhorn war.

Nachdem sie alle Einkäufe erledigt hatten, hielt Mrs Foster auf dem Nachhauseweg am Reitgeschäft an, um noch einige zusätzliche Futtereimer zu kaufen. Da kam Laura eine Idee. „Darf ich solange in den Buchladen gehen?"

„Einverstanden. Ich komme dann in ein paar Minuten nach." Aufgeregt lief Laura los. Die Türglocke klingelte fröhlich, als sie den Buchladen betrat. Drinnen sah es genauso aus, wie Laura es in Erinnerung hatte: die Bücherstapel, die Regale voller Bücher, der mit Rosen gemusterte Teppich. Sie erblickte die Besitzerin im hinteren Teil der Buchhandlung. „Hallo, Mrs Fontana!"

Überrascht drehte sich die Buchhändlerin um. „Hallo, Laura! Schön, dich wiederzusehen. Was kann ich für dich tun?"

Auf einmal fehlten Laura die Worte. Mrs Fontana sah so normal aus, dass die Idee, sie zu fragen, ob sie den Einhornzauber kannte, ihr jetzt ausgesprochen dumm vorkam. „Ähm ... nun ja ... ich ...", stotterte Laura herum.

„Hast du mittlerweile ein Einhorn gesehen?", fragte Mrs Fontana sie verschwörerisch.

Laura hörte auf zu stottern und starrte Mrs Fontana entgeistert an.

„Deshalb bist du doch zu mir gekommen, nicht wahr? Um mit mir über Einhörner zu sprechen."

Laura verschwendete keinen Gedanken daran, wie Mrs Fontana das wissen konnte. „Ist die Geschichte wirklich wahr?", sprudelte es nur so aus ihr heraus.

Die Ladenbesitzerin lächelte. „Sie ist wahr für die, die daran glauben."

„Kennen Sie den Zauberspruch?" Jetzt traute sich Laura die Frage zu stellen, die ihr keine Ruhe mehr ließ.

„Ich kenne ihn. Aber ich darf ihn dir nicht verraten. Jeder, der ein Einhorn erlösen möchte, muss allein die richtigen Worte finden. Alles, was du dafür brauchst, hast du bereits."

„Aber ..." Laura wollte ihr gerade widersprechen, als Walter plötzlich laut zu bellen anfing. Die Ladentür ging auf, und Lauras Mutter kam herein.

„Hallo, Mrs Fontana."

„Hallo!", erwiderte die Besitzerin der Buchhandlung lächelnd. „Haben Sie sich schon ein wenig in Ihrem neuen Zuhause eingelebt?" Ihre Stimme klang auf einmal nicht mehr so geheimnisvoll.

Frustriert wartete Laura, während sich die beiden Erwachsenen unterhielten. Wenn Mrs Fontana den Zauberspruch wirklich kannte, warum sagte sie ihn ihr dann nicht einfach? Sie musste sie unbedingt noch einmal danach fragen. Aber solange ihre Mutter danebenstand, ging das natürlich nicht.

Die Worte von Mrs Fontana gingen ihr nicht aus dem Kopf: Du hast bereits alles, was du dafür brauchst. Was hatte sie bloß damit gemeint?

Als Laura abends im Bett lag, beschloss sie, das ganze Buch von der ersten bis zur letzten Seite zu lesen. Na dann los!

Sie erfuhr, dass die magischen Wesen nach der großen Flut beschlossen, nicht wieder auf die Erde zurückzukehren, sondern in Arkadia zu bleiben. Sieben goldene Einhörner herrschten über das magische Land. Durch einen Zauberspiegel konnten sie beobachten, was auf der Erde passierte.

Gebannt las Laura jedes Wort. Doch den Zauberspruch konnte sie nicht finden.

Als sie am nächsten Morgen aufwachte, lag das Buch neben ihrem Bett auf dem Boden. Zwei Kapitel hatte sie nicht mehr geschafft. Am liebsten hätte sie gleich weitergelesen, aber es war schon sieben Uhr. Zeit, aufzustehen und Sternenschweif zu füttern. Sie konnte ja lesen, während er frühstückte.

Laura nahm das Buch mit in die Sattelkammer. Dann holte sie Sternenschweif von der Koppel und brachte ihn in den Stall. Hastig machte sie sein Futter zurecht. Je schneller Sternenschweif sein Frühstück bekam, desto eher konnte sie weiterlesen.

Sie füllte die Futterkrippe und holte das Buch aus der Sattelkammer. Laura machte es sich auf einem umgedrehten Futtereimer neben dem fressenden Sternenschweif gemütlich und begann, die letzten beiden Kapitel zu lesen. Irgendwo musste der Zauberspruch doch zu finden sein!

Plötzlich bemerkte Laura, dass Sternenschweif aufgehört hatte zu fressen und sie aufmerksam beobachtete. Er schnaubte einmal und kam dann zu ihr herüber. Sanft

blies er auf das Buch in ihrem Schoß, und
die Seiten schlugen um.

„Oh nein, Sternenschweif! Jetzt hast du
mir die Seite verblättert!" Aber noch bevor
Laura zurückblättern konnte, schnaubte
Sternenschweif noch einmal.

„Was machst du denn da?" Verdutzt sah
sie, wie Sternenschweif mit seinen Nüstern

behutsam die letzte Seite des Buches berührte. Ein kleiner, feuchter Fleck blieb auf dem Papier zurück. Gerade als Laura seinen Kopf verdutzt wegschieben wollte, entdeckte sie, dass die letzte Seite mit dem Buchdeckel verklebt worden war.

Eine Ecke der Seite war umgeknickt und flatterte etwas, als Sternenschweif wieder in das Buch blies.

Vorsichtig zog Laura am Papier und löste die Seite ab.

Sie traute ihren Augen kaum: Auf dem Buchdeckel standen fein säuberlich geschriebene Worte in verblasster Tinte. Es sah aus wie ein Gedicht. Das wird doch nicht ... Plötzlich begriff sie: Sie hatte den Zauberspruch gefunden!

8

Laura zitterte vor Aufregung, als sie die verblassten Worte las:

Silberstern, Silberstern,
hoch am Himmel, bist so fern.
Funkelst hell und voller Macht,
brichst den Bann noch heute Nacht.
Lass dies Pony grau und klein
endlich doch ein Einhorn sein.

Lauras Blick flog hinüber zu Sternenschweif. „Sieh nur, Sternenschweif. Ich kann es kaum glauben! Endlich haben wir den Zauberspruch gefunden!"

Sternenschweif senkte den Kopf, gerade so, als hätte er das schon vorher gewusst.

Entschlossen sprang Laura auf. Sie musste mit Sternenschweif noch einmal zu der Lichtung reiten und eine der violetten Blumen pflücken!

Laura konnte es kaum erwarten, bis Sternenschweif sein Frühstück verdaut hatte. Vorher durfte sie aber nicht losreiten, weil ihm das schaden konnte. Dann endlich konnte sie ihn satteln und sich auf den Weg zur Lichtung machen. Sternenschweif schien genau zu wissen, wohin sie ritten. Seine Ohren waren erwartungsvoll nach vorne gerichtet, während er den Weg bis zu dem kleinen Seitenpfad entlanggaloppierte.

Sie folgten ihm, bis sie wieder auf die sonnige Lichtung stießen. Sie sah noch genauso aus wie am Tag zuvor. Schmetterlinge tanzten über den Blüten, und die Luft schien geheimnisvoll zu flirren.

Schnell stieg Laura ab und führte Sternenschweif zu dem kleinen Hügel. Eine einzelne violette Blume lag dort im Gras auf dem Boden. Als Laura sie behutsam aufhob, fühlte sie, wie ein leichtes Schaudern ihren Rücken hinunterlief.

Sie spürte Sternenschweifs warmen Atem an ihrer Schulter und blickte ihn an. „Oh, Sternenschweif", flüsterte sie, „ich

wünsche mir so sehr, dass der Zauber
wirkt!"

Am Nachmittag fragte Laura ihren Vater,
wann die Sonne untergehen würde.

In ihrem Buch stand, dass der Stern nur für zehn Minuten nach Sonnenuntergang schien und dass die Zauberworte in dieser Zeit ausgesprochen werden mussten.

„So gegen sieben Uhr", antwortete ihr Vater. „Warum willst du das denn wissen?"

„Ach, nur so", wich Laura ihm aus.

Um halb sieben gab es Abendbrot. Laura aß, so schnell sie konnte, ihren Teller leer. „Darf ich schon aufstehen?"

Ihre Mutter blickte sie verwundert an. „Erst, wenn alle fertig sind. Das weißt du doch, Laura."

Also blieb ihr nichts anderes übrig, als sitzen zu bleiben. Durch das Küchenfenster sah sie, wie die Sonne tiefer und tiefer sank. Oh nein! Sie würde den Sonnenuntergang verpassen!

Endlich war auch ihr Vater fertig. „Das war wirklich lecker!"

Noch bevor er zu Ende gesprochen hatte, sprang Laura auf. „Jetzt kann ich

aber zu Sternenschweif gehen, oder?",
fragte sie ihre Mutter ungeduldig.

„Von mir aus. Raus mit dir."

Laura schnappte sich ihre Jacke und lief,
so schnell sie konnte, in die Sattelkammer.
Sie nahm das Buch, das sie dort liegen gelassen hatte, und rannte weiter zur Koppel.
Das Herz schlug ihr bis zum Hals. Was
würde wohl passieren? Würde der Zauber
wirklich funktionieren?

Sternenschweif stand schon am Tor. Er
wieherte, als er Laura kommen sah. Laura
führte ihn in die entlegenste Ecke der Koppel, die von Bäumen verdeckt wurde.

Sobald sie vom Haus aus nicht mehr zu
sehen waren, zupfte Laura behutsam ein
einzelnes Haar aus Sternenschweifs Mähne.
Dann öffnete sie das Buch und nahm die

violette Blüte aus ihrer Hosentasche. Die goldenen Punkte schienen im Licht der untergehenden Sonne zu leuchten.

Laura schaute nach oben. Die Sonne versank gerade hinter dem Horizont. Mit zusammengekniffenen Augen suchte sie nach dem Stern. Aber am Himmel war nichts zu sehen. War sie zu spät gekommen? Sternenschweif wieherte ungeduldig.

„Pssst, ganz ruhig, mein Kleiner." Laura tätschelte ihn beruhigend. Dann blickte sie noch einmal in den Himmel, und ihr Atem stockte. Hoch über ihnen war ein strahlender Stern aufgegangen. Die Zeit für den Zauberspruch war gekommen!

„Bitte, bitte, verwandele Sternenschweif in ein Einhorn!", flehte Laura. Sie wünschte sich so sehr, dass es gelingen würde.

Sie holte tief Luft und zupfte Blütenblatt für Blütenblatt ab. Dabei sagte sie den Zauberspruch auf:

Silberstern, Silberstern,
hoch am Himmel, bist so fern.
Funkelst hell und voller Macht,
brichst den Bann noch heute Nacht.
Lass dies Pony grau und klein
endlich doch ein Einhorn sein.

Nach dem letzten Wort hielt sie erwartungsvoll den Atem an.

Doch nichts geschah.

Laura sah auf die Blütenblätter in ihrer Hand und war maßlos enttäuscht. Also war alles doch nur ein Märchen! Es gab eben keine Einhörner!

Als sie Sternenschweif anschaute, füllten sich ihre Augen mit Tränen. Sie hatte sich so sehr gewünscht, dass er sich in ein Einhorn verwandelte.

Sie schluckte mühsam und ließ die Blütenblätter auf den Boden fallen. Plötzlich flammte ein violetter Blitz auf. Er war so hell, dass Laura ihre Augen schließen musste. Als sie sie wieder öffnete, stockte ihr der Atem.

Sternenschweif war verschwunden!

9

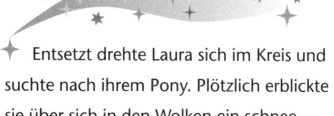

Entsetzt drehte Laura sich im Kreis und suchte nach ihrem Pony. Plötzlich erblickte sie über sich in den Wolken ein schneeweißes Einhorn. Seine Hufe und sein Horn glänzten silbern, seine Mähne und sein langer Schweif wehten im Wind.

„Sternenschweif, bist du das?" Laura konnte es kaum fassen.

„Ja", erwiderte das Einhorn, „ich bin es wirklich. Es ist noch etwas ungewohnt für mich hier oben. Schließlich fliege ich zum

ersten Mal in meinem Leben. Hoppla ..."
Er steuerte etwas wackelig auf Laura zu
und wäre beinahe an einem Ast hängen
geblieben. Aber dann landete er sicher
neben ihr auf der Weide. „Hallo!" Er ging
auf Laura zu und schmiegte liebevoll seinen Kopf an ihre Schulter.

Obwohl seine Lippen sich nicht bewegten, konnte Laura ihn klar und deutlich verstehen. „Du kannst ja sogar sprechen!",
stellte sie erstaunt fest.

„Aber nur, solange ich ein Einhorn bin",
erklärte ihr Sternenschweif. „Und du
kannst mich nur hören, wenn du mich berührst oder ein Haar aus meiner Mähne in
deinen Händen hältst."

„Ich kann einfach nicht glauben, dass du
tatsächlich ein Einhorn bist!"

Sternenschweif lachte vergnügt. „Ich bin aber wirklich eins. Ich war in meinem Ponykörper gefangen. Doch du hast mich befreit, und das bedeutet, dass du von nun an meine Einhorn-Freundin bist."

„Deine Einhorn-Freundin?", fragte Laura ungläubig.

„Genau. Jedes Einhorn ist auf der Suche nach seinem Einhorn-Freund, mit dem es gemeinsam stark sein und anderen helfen kann."

„Dann stimmt also alles, was in dem Buch steht?" Laura konnte es immer noch nicht glauben.

„Jedes Wort." Sternenschweif schüttelte fröhlich seine lange Mähne. Dann kniete er vor ihr nieder. „Komm, steig auf meinen Rücken, und lass uns versuchen, gemeinsam zu fliegen. Du musst allerdings entschuldigen, wenn ich am Anfang noch etwas unsicher bin."

Gespannt und nur ein ganz klein bisschen ängstlich griff Laura in seine Mähne und stieg auf. „Und wenn ich herunterfalle?", fragte sie.

„Keine Angst. Das wirst du nicht. Solange ich ein Einhorn bin, kannst du gar nicht herunterfallen. Meine Einhornkräfte schützen dich."

Laura hielt sich zur Sicherheit doch lieber an seiner Mähne fest.

„Hui, aufgepasst, jetzt geht es los!", rief er Laura zu.

Seine Hufe flogen über das Gras. Kraftvoll schlug Sternenschweif mit den Hinterbeinen aus, und mit einem Satz stieg er hoch in die Luft. Laura wurde ziemlich durchgeschüttelt. Doch Sternenschweif beruhigte sie. „Keine Sorge. Ich muss nur noch mehr üben."

Laura griff zur Sicherheit noch etwas fester in seine Mähne.

Dann schaute sie nach unten. „Wow!" Sie konnte es einfach nicht glauben, dass sie tatsächlich durch die Luft ritt!

Sternenschweif flog höher und höher, den Sternen entgegen, und Lauras Haare wehten im Wind. Seine Sprünge wurden immer gleichmäßiger. Sie war überglücklich. „Das ist einfach wundervoll!"

Sie schaute wieder nach unten. Dort zogen die Wipfel der Bäume an ihnen vorüber.

Plötzlich erblickte sie eine Frau auf einem Weg im Wald. Ein kleiner weißer Terrier lief

neben ihr her. „Das ist ja Mrs Fontana!"

Mrs Fontana sah nach oben und winkte.

„Hallo, ihr da oben!" Sternenschweif setzte

zur Landung an und kam sanft neben

ihr auf dem weichen Gras auf.

Rasch kletterte Laura von seinem Rücken.

„Mrs Fontana!" Sie war noch ganz

atemlos.

Mrs Fontana lächelte: „Wie ich sehe, hast du einen neuen Freund gefunden."

Laura nickte begeistert. „Vielen Dank, dass Sie mir das Buch gegeben haben!"

„Es wurde Zeit, dass es einen neuen Besitzer bekam", entgegnete Mrs Fontana bestimmt. „Aber du musst mir verspre-chen, dass das Geheimnis bei dir gut auf-bewahrt ist. Die Macht eines Einhorns ist sehr groß. Schlechte Menschen könnten in Versuchung geraten, diese Macht für ihre eigenen Zwecke zu nutzen. Du darfst also mit niemandem darüber sprechen. Das verstehst du doch sicher?"

Laura war enttäuscht. Sie hatte sich schon ausgemalt, wie erstaunt ihre Eltern sein würden, wenn sie ihnen alles erzählte. Doch sie sah ein, dass Mrs Fontana recht

hatte. „Ich verspreche es. Ich werde niemandem davon erzählen."

„Das ist gut", lobte Mrs Fontana. „Und
jetzt", fuhr sie fort und schien dabei ein
Stück Papier aus der Luft zu greifen, „gebe
ich dir den Zauberspruch, mit dem du
Sternenschweif wieder in ein Pony verwan-
deln kannst. Du musst ihn aufsagen, sobald ihr wieder zu Hause seid."

Mit diesen Worten übergab Mrs Fontana
ihr das Papier. Darauf stand:

Strahlendes Einhorn, zauberhaft und voller Macht,
du leuchtest hell in dunkler Nacht.
Kein fremdes Aug' darf dich entdecken,
deine wahre Gestalt musst du verstecken.
Magisches Einhorn hier auf Erden,
sollst nun ein Pony wieder werden.

Mrs Fontana ermahnte sie noch einmal eindringlich. „Bewahre Sternenschweifs Geheimnis gut!"

„Das werde ich", versprach Laura feierlich.

Dann sank Sternenschweif wieder auf seine Knie, und Laura stieg auf. Mit zwei großen Sprüngen galoppierte das Einhorn los und erhob sich in die Luft.

„Auf Wiedersehen, Mrs Fontana!", rief Laura zum Abschied und hielt sich mit beiden Händen an Sternenschweifs Mähne fest.

Mrs Fontana sah zu ihr hinauf. „Nutze den Zauberspruch sorgsam, Laura!", rief sie ihr nach. Mit diesen Worten verschwanden sie und Walter zwischen den dunklen Bäumen.

Sternenschweif und Laura flogen durch die Nacht. Laura war sich sicher, dass sie noch nie in ihrem Leben glücklicher gewesen war! Es gab so viel zu sehen. Sie flogen über Wälder und Flüsse, über Mrs Fontanas Buchhandlung und zu guter Letzt über die Berge, die hinter ihrem Haus aufragten.

Schließlich kamen sie wieder an der Koppel an. Als sie zur Landung ansetzten, fielen Laura plötzlich ihre Eltern ein.

„Hoffentlich hat daheim niemand etwas bemerkt."

„Keine Angst", beruhigte Sternenschweif sie. „So lange waren wir gar nicht fort."

„Oh, Sternenschweif!" Laura konnte immer noch nicht richtig glauben, was heute Nacht passiert war. „Das ist alles so aufregend!"

Sternenschweif nickte zustimmend.
„Und das ist erst der Anfang. Wir werden
noch viele aufregende Dinge miteinander
erleben." Er rieb seinen Kopf an ihrer
Schulter. „Ich bin so glücklich, dass du
meine Einhorn-Freundin bist."

Laura umarmte ihn ganz fest. „Und ich
bin so glücklich, dass du mein Einhorn
bist."

Nachdem sie abgestiegen war, nahm Laura das Stück Papier aus der Hosentasche, das Mrs Fontana ihr gegeben hatte. Langsam las sie den Zauberspruch darauf vor. Kaum hatte sie das letzte Wort gesprochen, flammte ein grellvioletter Blitz auf, und Laura musste die Augen schließen. Die Luft um sie herum wurde kälter.

Als sie die Augen vorsichtig wieder öffnete, stand Sternenschweif immer noch neben ihr. Aber nun war er kein Einhorn mehr, sondern wieder ein ganz normales kleines, graues Pony.

Einen Moment lang befürchtete Laura, sie habe sich alles nur eingebildet. Aber dann sah sie auf das Blatt Papier in ihrer Hand. Nein, das alles war wirklich passiert.

Als Sternenschweif liebevoll an ihren Haaren schnupperte, hatte Laura auf einmal das Gefühl, dass Aufregung und Glück wie Brausepulver in ihrem Magen blubberten.

„Gute Nacht", wisperte Laura und küsste Sternenschweif auf die Nase. Sie hob das Buch auf, das sie im Gras liegen gelassen hatte, und rannte ins Haus zurück.

Buddy freute sich so überschwänglich, sie zu sehen, dass er sie zur Begrüßung fast umgeworfen hätte.

Ihr Vater räumte gerade Geschirr in die Spülmaschine, und ihre Mutter schenkte Max ein Glas Milch ein.

„Wie geht es Sternenschweif?", erkundigte sie sich, als Laura in die Küche stürmte.

„Dem geht es gut. Ich ... ich denke, ich gehe jetzt nach oben in mein Zimmer und lese noch ein bisschen", sagte Laura.

Sie lief die Treppe hinauf und setzte sich auf die kleine Bank vor ihrem Fenster. Sternenschweif graste auf der Koppel. Er schien Lauras Blick zu spüren. Unvermittelt hob er den Kopf und wieherte.

Ein glückliches Lächeln glitt über Lauras Gesicht.

Ihr neues Pony war tatsächlich ein Einhorn. Eine aufregende Zeit lag vor ihr!

Sternenschweif

Sprung in die Nacht

1

„Gleich ist es so weit, Sternenschweif",
flüsterte Laura Foster dem grauen Pony
zu, das neben ihr stand. Sie betrachtete
die sternförmigen Blüten in ihrer Hand.
Auf der Spitze jedes Blütenblatts leuchtete
ein goldener Punkt. Ihr Pony stampfte mit
den Vorderhufen auf und stupste seinen
Kopf ungeduldig gegen Lauras Hand.

„Nur noch ein paar Minuten", be-
schwichtigte sie es und schaute nach oben.
Die Sonne war fast untergegangen. Dies
war der Augenblick, auf den sie den gan-

zen Tag sehnsüchtig gewartet hatte. Als
die letzten Strahlen der Sonne hinter den
Bergen verschwanden, erschien über ihnen
am Himmel ein strahlend heller Stern.

Ein Schauder durchfuhr Laura. Jetzt war
es so weit! Vorsichtig zerrieb sie die Blütenblätter zwischen ihren Fingern, dabei
flüsterte sie die geheimen Worte des Zau-
berspruchs:

Silberstern, Silberstern,

hoch am Himmel, bist so fern.

Funkelst hell und voller Macht,

brichst den Bann noch heute Nacht.

Lass dies Pony grau und klein

endlich doch ein Einhorn sein.

Kaum hatte sie das letzte Wort gesprochen, erhellte ein grellvioletter Blitz den Himmel.

Das Gras, auf dem Sternenschweif eben noch gestanden hatte, war leer. Laura blickte auf. Ein schneeweißes Einhorn zog galoppierend seine Kreise durch die Lüfte.

„Sternenschweif!", rief Laura strahlend vor Freude. Sternenschweif schlug vergnügt mit den Hinterbeinen aus, setzte

zum Sturzflug an und landete neben
Laura.

„Hallo, Laura." Sanft blies das Einhorn
seinen Atem in ihr Gesicht. Seine Lippen
bewegten sich nicht, dennoch konnte
Laura jedes seiner Worte klar und deutlich
verstehen. Sie erinnerte sich an das, was
Sternenschweif ihr in der vergangenen
Nacht erklärt hatte, in der sie ihn zum ersten Mal in ein Einhorn verwandelt hatte.
Solange sie ihn berührte oder ein Haar aus
seiner Mähne in den Händen hielt, konnte
sie ihn sprechen hören.

Laura umarmte Sternenschweif ganz
fest, dann schaute sie auf die Blütenblätter,
die sie immer noch in der Hand hielt.
„Ich habe sie ja dieses Mal gar nicht auf
den Boden fallen lassen."

Sternenschweif schüttelte seine lange, silberne Mähne. „Das musst du nicht mehr. Die Blüten der Mondblume brauchst du nur, wenn der Zauberspruch zum ersten Mal aufgesagt wird. Jetzt musst du nicht einmal mehr auf den Silberstern warten. Von nun an reicht es, wenn du die magischen Worte sprichst. Und du kannst mich sprechen hören, auch ohne dass du mich berührst." Seine Hufe scharrten ungeduldig über das Gras. „Komm, Laura. Lass uns zusammen fliegen."

aus: Sternenschweif. Sprung in die Nacht (ISBN 3-440-09900-8)

Sternenschweif

Je €/D 7,95
Preisänderung vorbehalten

kosmos.de/sternenschweif

Sternenfohlen

Jeder Band €/D 6,95
Preisänderung vorbehalten

Ein magisches Abenteuer

Karin Müller
Ein Zauberpferd für Anna
128 Seiten, €/D 8,99
Preisänderungen vorbehalten

Anna liebt ihr Pony Jule. Aber im Stall wird es verspottet, weil es alt und dick ist.
Da passiert ein Wunder: Das Pony verwandelt sich! Ihm wachsen Zauberflügel, und es
erzählt Anna von der geheimnisvollen Insel der Flügelpferde, auf die es zurück möchte.
Wird es Anna und Jule gelingen, die Insel zu finden?

kosmos.de